KV-383-152

THE
BIG
BOOK
OF THE
BLUE

My best wishes
to my Chinese readers!
from Yuval!
London

这只淘气的沙丁鱼在书中一共出现了15次，
你能全部找出来吗？可别认错了哦。

审订：英国动物专家 芭芭拉·泰勒

中科院海洋研究所 刘清华

走进
奇妙的
蓝色国度

[以] 尤瓦·左默/著　　曾菡/译

新星出版社 NEW STAR PRESS

谁躲在书里呀?

海洋家族

哪些动物居住在海洋里？

有不计其数的动物家族居住在海洋里。有些动物看起来毛茸茸的，有些动物长了鳞片，有些动物长了鱼鳍，而有些动物的身体里竟然完全没有骨头和大脑！

软体动物

包括章鱼、鱿鱼、海螺和牡蛎

都有鳃

很多都住在贝壳里

都是冷血动物

甲壳纲动物

包括螃蟹、龙虾、对虾和磷虾

都有鳃

在它们柔软的肉体外面都有一层坚硬的壳

鱼类

包括鲨鱼、鳐鱼、剑鱼、飞鱼、海马、金枪鱼和河鲀等

都有鳃

都是冷血动物

都有骨骼

哺乳动物

包括海豹、鲸和海豚

都有肺

表皮上长着蓬松或短而硬的体毛

身体内有骨骼

爬行动物

包括海龟和海蛇

都有肺

都是冷血动物

都有骨骼和鳞状皮肤

鳍和鳍状肢

海洋动物是怎样游泳的呢？

  海洋动物以各种各样的方式游动着。有些动物使用鳍状肢，有些动物使用喷射动力，还有些动物就这么漂着。有些动物游得快如闪电，而有些动物游得慢如蜗牛，这一切都取决于它们的身体形状和游泳技术。

不可思议的鱼鳍

  鱼类会通过摆动身体来前进，鱼鳍可以帮助它们改变方向。海马有小小的鳍，它总是慢慢地游动，它是唯一一种直立行动的鱼。

扭来扭去

  鳗鱼和海蛇以S型扭动着身体在海里前进。

鳍状肢真棒

　　海豚、海豹、鲸和海龟都用
鳍状肢游泳。

上下起伏

　　水母把海水吸进伞状体
里，再喷射出去，利用这种
动力在海里上下起伏。

快速喷射

　　章鱼把海水吸进身体，再把水迅速喷射出
去。这种强大的动力推动它快速前进，它的触
须有节奏地在身后摆动。

9

鳃和气孔

动物在水里怎么呼吸呢？

所有动物都需要呼吸氧气才能生存。陆地动物从空气中获得氧气。有些海洋生物浮出水面来呼吸空气，而其他的生物会从水中滤出氧气。

神奇的鳃

鱼、鱿鱼和螃蟹通过鳃呼吸。鳃是动物体内一种有缝隙的器官，它可以过滤出水中的氧气。

会呼吸的皮肤

水母、珊瑚和海葵通过皮肤来吸收氧气。

浮上来透口气

像人类一样，海龟、企鹅和鲸都有肺。这就意味着它们需要时不时浮出水面，用新鲜空气来填满它们的肺。

闭气冠军

有些海洋动物会每隔几分钟浮上海面，呼吸新鲜空气。但抹香鲸可以保持两个小时不呼吸新鲜空气喔！

喷气孔

当鲸或海豚浮出海面时，它们会通过头顶的气孔来呼出不新鲜的、污浊的空气。

海 龟

龟什么时候才会被人称为"海龟"？

当它生活在大海里的时候！海龟的壳很光滑，所以它可以轻松自如地在海水里游动。海龟没有办法像其他乌龟一样，把头藏在壳里。

游泳护目镜

海龟的眼睑是透明的，就像护目镜一样，可以让它在水下看清楚四周。

在温暖的热带水域自由穿行

有弹性的蛋

海龟游到岸边，把蛋产在海滩上。海龟蛋的壳柔软而有弹性，所以当蛋落到沙地上时，壳就不会裂开啦。

用来切割食物的下颚

海龟没有牙齿。但是它们的下颚有锋利的边缘，可以用来切开食物。

你知道吗？

海龟可以吃掉水母而不被水母蜇伤。

飞鱼

飞鱼是不是真的会飞呀？

是的！为了避免被其他鱼吃掉，飞鱼会从水里"飞"出来：它们拍打着鳍，在空中滑翔。飞鱼可以连续滑翔45秒。

眼睛的错觉

飞鱼的上半身是蓝色的，所以当天上飞翔的鸟儿俯瞰海面的时候，是不会发现飞鱼的。另外，飞鱼的肚子是银色的，所以在饥肠辘辘的水下猎食者眼里，飞鱼简直和天空融为一体了。

在波光闪闪的海面快速飞过

空袭

　　飞鱼向来都是食肉动物垂涎的美食。哪怕在飞行途中，飞鱼也难免会被鸟类捕食。

快速鱼雷

　　为了能将流线型的身体发射到空中，飞鱼必须以60千米/小时的速度游泳！

庞大的家族

　　飞鱼可不是孤孤单单一只在海里游哦，飞鱼家族通常是上百万只一起游泳！

15

海马

海马是一匹马吗？

海马其实是一种直立的鱼类。它的头部像马，尾巴像猴子，还有一个像袋鼠一样的小袋子。

嘎嘣脆

海马体内有一副骨骼，体外也有一副骨骼，就像穿了一套盔甲。面对那些不喜欢脆脆口感食物的猎食者，海马就安全啦。

在温暖的杂草中独自漂浮

独一无二的王冠

每只海马都有自己的特殊王冠，称为"蹄冠"。就像人类的指纹一样，没有两只海马的蹄冠是一模一样的。

爸爸真酷！

海马爸爸把海马卵放在自己腹部的育儿袋里，细心孵化和照顾这些宝宝们。

尾巴抓紧！

如果有一股强烈的海浪出现，海马会用自己又长又卷的尾巴抓住一丛海藻，防止自己被冲走。

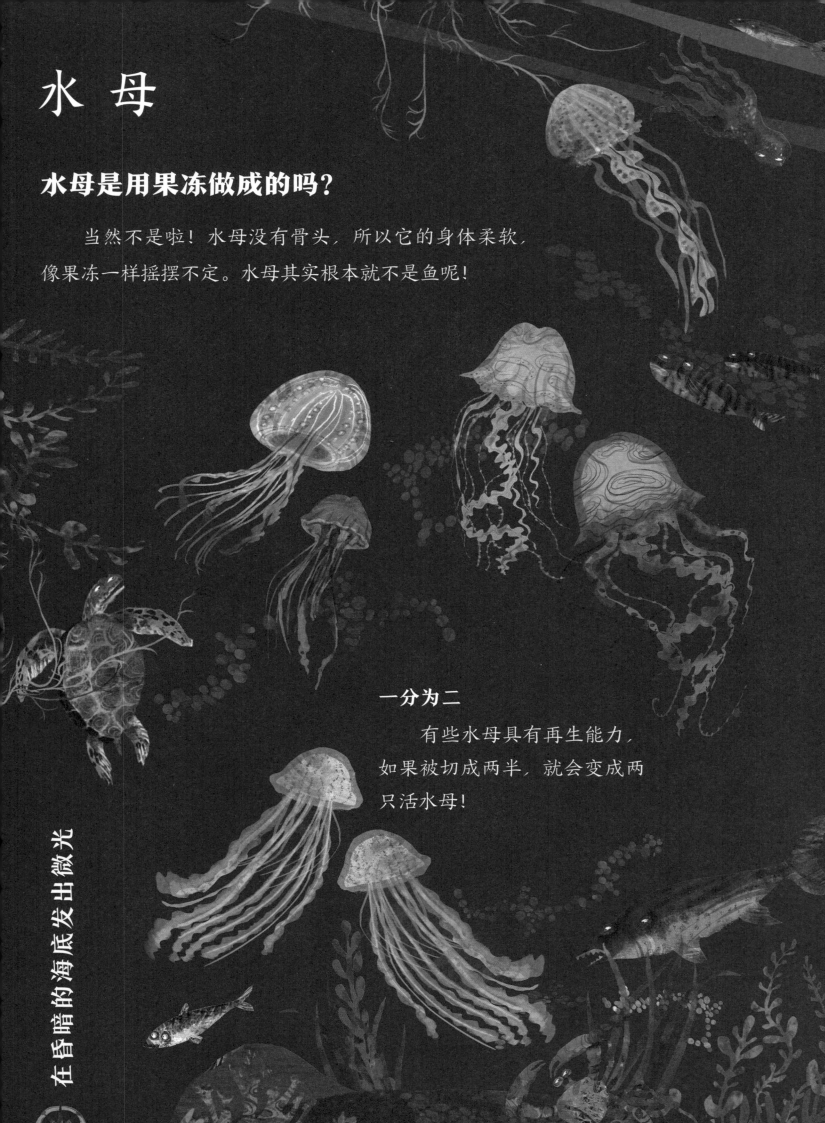

水 母

水母是用果冻做成的吗？

当然不是啦！水母没有骨头，所以它的身体柔软，像果冻一样摇摆不定。水母其实根本就不是鱼呢！

一分为二

有些水母具有再生能力，如果被切成两半，就会变成两只活水母！

在昏暗的海底发出微光

18

喷气动力水母

水母将水从体内喷射出去，用这股力量来推动自己前进。如果水母累了不想动，它就会随波逐流。

发光了，怕不怕？

有些水母可以在黑暗中发光。对于不喜欢"发光茶点"的猎食者来说，这些光线会让它们觉得倒胃口。

没有大脑的动物

水母没有大脑，没有血液，也没有心脏。

19

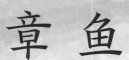

章 鱼

章鱼的八条触手可以干什么呢?

　　章鱼有许多聪明的方式来使用它的这些触手。每一条触手上都有成排的吸盘和感受味觉的细胞，可以帮助它捡起和品尝食物。它的触手上有脑细胞，所以每一条触手都有属于自己的"大脑"呢。

墨汁爱好者

　　当章鱼感到害怕时，会把体内的墨汁释放到周围的水中，用来迷惑攻击者。有些章鱼还能在黑漆漆的墨汁中发光!

从昏暗的海底喷射而过

喷射战斗机

章鱼从脑袋后面喷射出一股强劲水流，推动它前进。它甚至可以利用喷射动力从水里跳出来。

找一找

画面里有两只鱿鱼，每只都有两条外伸的触角和八条触足。

你知道吗？

章鱼有三颗心脏呢！

21

鲸

为什么鲸的体积那么庞大？

鲸可以长得很大很大，这是因为它周围的水可以支撑它的体重。蓝鲸身体比一个篮球场还长，拥有一颗像小马一样大的心脏。它是有史以来最大的动物——甚至比恐龙还要大喔！

呼吸新鲜空气

鲸通过头部的喷气孔来呼吸新鲜空气。

当幼鲸宝宝出生时，鲸妈妈会把它推到水面上，让它呼吸第一口新鲜空气。

座头鲸如何发出信息？

它通过拍打水面来和同伴保持联系。

鲸的咏叹调

有些雄鲸唱着浪漫而低沉的奇怪歌曲，希望雌鲸能听见它们的歌声。

心脏有多重？

座头鲸的心脏重约200千克，相当于3个成人的重量。

螃蟹

为什么螃蟹会横着走？

螃蟹的膝盖向侧面弯曲，这意味着它们必须向侧面移动。我们的膝盖前屈，所以我们向前走。

好眼力

螃蟹的眼睛就像蜗牛的一样，可以同时观察两个方向是否有危险。

在平坦的沙滩上小步疾行

来打个招呼吧！

螃蟹说"你好"时，会不停地挥舞钳子呢！螃蟹也经常通过敲击岩石来互相传递信息。

哎哟，这大钳子！

螃蟹有两个大大的钳子。它用这两个钳子来切割和压碎食物，然后把食物捡起来塞进嘴里。

掩饰高手

钝额曲毛蟹，俗称装饰蟹，会用海带、贝壳和卵石来掩盖和装饰自己，以此来躲避敌人的捕猎。

海 豹

海豹居住在海里还是陆地上？

海豹一生的大部分时间都生活在海洋中，但它必须时不时浮出水面呼吸新鲜空气。海豹可以在水下或海滩上睡觉。

笨拙又身手敏捷

海豹在海岸上缓慢地移动着它笨拙的身体，但它在海里的时候，身手可是非常敏捷的呢！

屏住呼吸

海豹可以在水下屏住呼吸长达两个小时。

追逐游戏

　　海豹幼崽不需要学习游泳，它们天生就会游泳。海豹幼崽喜欢在水下玩追逐游戏。

当心啊！

　　并不是所有的海豹都很友好哟。豹形海豹就非常凶残，它们有时甚至会捕食其他海豹。

鲨 鱼

鲨鱼会吃人吗?

世界上有超过500种鲨鱼,它们都是食肉动物。有时如果鲨鱼误把人类当成海豹或者大鱼,它们就会咬人。一般情况下鲨鱼不伤害人类。

你知道吗?

大部分的鱼类有四对鳃,而鲨鱼不一样,它们拥有五对甚至六七对鳃。

失去牙齿

幼鲨宝宝还在妈妈肚子里的时候,就很可能因为激烈的相互厮杀而失去牙齿。

在幽深黑暗的海洋里厮杀

28

胃部清洗仪式

虎鲨把它的胃从嘴里吐出来，这是它在吃完一顿大餐之后的胃部清洗仪式。

一直一直游

有些游泳速度很快的鲨鱼必须一边张开大嘴一边游，这是为了过滤足够多的海水来呼吸。如果速度慢下来，它们就会窒息！

29

磷 虾

磷虾是什么？

磷虾看起来有点像虾。海洋里的磷虾比地球上任何其他动物的数量都多！很多海洋生物都以大量磷虾为食。

透明的身体

磷虾的身体是透明的，你可以看到它正在消化昨天的晚餐。

远看一大片

有时候，磷虾会聚集在一起形成巨大的群体，这时候的海水看起来是一大片粉红色的，甚至从太空中都可以看到呢！

在大洋中浮现的粉红色

一闪一闪亮晶晶，满海都是小磷虾

有些磷虾会在黑暗的环境里发光，所以夜里它们会在海平面下闪闪发光。

食客的大餐

一头蓝鲸一天能吃掉4吨磷虾！

残酷的甲壳类动物

磷虾通常吃植物，但如果它非常饥饿，可能会吃掉身边的磷虾同类。

鱼衔

鱼衔科鱼能不能喷火？

鱼衔科鱼的英文名dragonet是"小龙"的意思，但是它们不能喷火哟！取这个名字是因为鱼衔鱼往往有着色彩明亮的褶边鳍，看起来就像中国的龙灯。

黏液警报！

有时，鱼衔鱼会把自己隐藏在恶臭的黏液中，防止被天敌吃掉。

水中漫步

这只鱼衔鱼沿着海底游来游去。它的鳍摆动得非常快，看起来就像是在海底"走路"。

给大海的脚底挠痒痒

32

体积变大

这只雄性鲔鱼为了让自己看起来体积更大，会在背脊上拱起一根长长的脊梁。

神奇的"鳍动"

雄性鲔鱼会表演特别的舞蹈吸引雌性鲔鱼。

小小的鲔

一只花斑连鳍鲔只有6厘米左右长。像所有的鲔科鱼一样，它也拥有厚厚的皮肤，以保护自己不受尖锐岩石的伤害。

海 蛇

海蛇是如何在水里生存的呢？

海蛇非常擅长游泳。它有一条扁平的尾巴，能像桨一样划水，帮助自己快速游动。它必须时不时浮出水面来呼吸新鲜空气，但它也能在水下长时间屏住呼吸。

海蛇蜕皮

海蛇每隔2~6周蜕皮一次，是为了清除寄生在身上的藤壶。

你发现了吗？

这一页藏着一条鳗鱼！鳗鱼的身体上有一条长长的带状鱼鳍。

在开阔水域游来游去

34

咸味的唾沫

　　海蛇从它的血液中过滤出盐，然后把盐吐回大海。

危险之圈

　　有的海蛇身上有五颜六色的圈形花纹，这是用来告诉捕食者："别碰我，我有毒！"

35

深海鱼类

深海鱼类有什么共同之处呢？

深海鱼类的样子看起来都很奇怪。它们生活在冰冷、黑暗的海底，所以它们必须在无数吨海水的重压之下生存。深海的食物和氧气都很稀少，深海鱼类以它们特殊的方式适应艰苦的生存环境。

鮟鱇

雌性鮟鱇把一个小"灯泡"挂在它头上。当别的小鱼好奇地循着光亮游过来时，鮟鱇就趁机把它们吃掉。

在一片漆黑里神出鬼没

食人魔鱼

　　这种鱼的嘴里长着内扣的、又长又尖利的牙齿，这是为了防止猎物逃跑。它虽然看起来很吓人，但只能长到15厘米长。

吞噬鳗

　　这种海鳗有一个大大的嘴巴和很有弹性的胃，可以尽可能多地捕捉食物。

水滴鱼

　　水滴鱼的身体柔软而且容易被压扁，在海底无比强大的水压之下，它的身体被压成了一团。

剑 鱼

剑鱼真的有一把剑吗？

剑鱼的鼻子像剑一样锋利而尖锐，它用这把"剑"来刺击猎物。它还可以将这把"剑"当作餐刀，把食物"切"成小块。

阳光追寻者

剑鱼喜欢晒太阳，沐浴在温暖的阳光下。

没有牙齿的奇迹

当小剑鱼长大了，它就会失去所有的牙齿！

在阳光下乘风破浪

剑指那艘船！

剑鱼强壮有力又极具攻击性，它甚至可以刺穿船体。

游得飞快的鱼

剑鱼的游泳速度可达到80千米/小时。它是世界上游速最快的十种鱼之一。

39

鳐 鱼

鳐鱼能产生电吗？

　　世界上有许多种类的鳐鱼，包括蝠鲼、魟鱼等。只有电鳐的体内才能产生电。电鳐利用它们的电能来袭击捕食者或猎物，并互相发送信息。

水中之翼

　　蝠鲼拥有巨大的翼鳍。当它拍打着翼鳍游泳的时候，看起来就像是在水下飞行。

蝠鲼清洗，立等可取

　　蝠鲼经常光顾"清洗站"，在那里，其他的鱼会吃掉蝠鲼脱下来的死皮。

在海底自在遨游

魟鱼

魟鱼的尾巴中间长有毒刺。它用这种毒刺来抓捕其他鱼类为食。

备用呼吸孔

魟鱼通过身体下面的鳃来呼吸。当它躺在沙子上时，这些鳃就被盖住了，这时候魟鱼就通过头部的备用孔来呼吸。

珊瑚鱼

珊瑚到底是动物还是植物？

珊瑚是一种与水母和海葵有亲缘关系的动物。当许多珊瑚聚集在一起时，就形成了珊瑚礁，看起来就像一个水下森林。许多植物也生长在珊瑚礁上。珊瑚礁是许多特殊鱼类的家园。

鹦鹉鱼

鹦鹉鱼用它喙形的嘴巴来搜刮石头和珊瑚上的美味海藻。

小丑鱼

小丑鱼生活在海葵的触手之间。海葵带刺的触手可以保护小丑鱼。

五彩鱼在珊瑚礁中忙忙碌碌

42

刺尾鱼

刺尾鱼的尾部有像刀一样锋利的刺棘。它用这些刺来对付敌人。

箱鲀

箱鲀的样子方方的，就像一个箱子。它的骨头就像坚硬的盔甲，所以它没有办法快速游动。其他鱼会觉得箱鲀太硬了，很难吃。

蓑鲉

蓑鲉（suō yóu）别名狮子鱼，它的身上有五颜六色的条纹，这是在对那些想吃掉它的大鱼宣告："我可是有剧毒的哟！"

43

金枪鱼

一条金枪鱼能装满多少个罐头？

有一种蓝鳍金枪鱼可以活40年，身长可达3米，重达680千克，比一匹马还重！这意味着它可以装满超过5500个金枪鱼罐头呢。

鱼雷形的金枪鱼

金枪鱼有一个超级流线型的身体，这让它可以自如地在水中穿行。

像金枪鱼那样孤独地徘徊

金枪鱼没有家，它每天的生活就是在不同的海洋中游泳。

跨越广阔的大西洋海域

动力强劲

金枪鱼是一种强壮而且肌肉发达的鱼类。它游得非常快，能游很长时间，还能游出很远的距离。

金枪鱼的"三明治"

我们把金枪鱼当食物，但是作为一种食肉动物，金枪鱼也喜欢吃鱼呢。

企 鹅

为什么企鹅不会被冻僵呢？

企鹅的身体里有一层厚厚的脂肪，有助于保持身体温暖。企鹅准爸爸或准妈妈把企鹅蛋放在自己双脚上保持平衡，防止企鹅蛋受冻。

黑白相间，难以辨认

企鹅在游泳时可以将自己伪装起来。从上面往下看，它像大海一样黑暗，从下面往上看，它像天空一样苍白。

穿越冰冷的南极水域

嗬，肚子里有石磨！

企鹅偶尔会吞下岩石和卵石，这能帮助它磨碎肚子里的食物。

水下杂技演员

企鹅不能像其他鸟类一样飞行，但它能在水下优雅地"飞翔"。

沉重的骨架

企鹅的骨架很重，可以帮助它顺利潜入水中。

河鲀

河鲀什么时候会鼓成一个球呢？

河鲀的游泳速度很慢，所以它不能快速摆脱捕食者。为了赶走路过的饥饿的鱼类敌人，它会吸进大量的水，把自己膨胀成一个长满刺的小球。

没有鱼鳞的鱼

河鲀有厚厚的弹性皮肤，但没有鱼鳞。

长牙的开罐器

河鲀用它喙状的牙齿来撬开贻贝和蚌的外壳。

在温暖的洋流中缓缓游动

一眨眼的工夫

河鲀是唯一能眨眼的鱼类。它的眼睛还可以同时朝两个不同方向转动。

世界上最毒的鱼！

河鲀是世界上第二毒的动物，它的毒性仅次于箭毒蛙。

海 豚

为什么海豚会从海里跳跃起来？

海豚非常聪明，很喜欢玩耍。它们喜欢和其他海豚比赛，看谁能激起最大的浪花。跃出水面的海豚可以在空中转体七次！

我什么也闻不到！

海豚头上有一个洞，是它的鼻孔，但这个鼻孔没有嗅觉。

你能找到吗？

这里有什么东西不应该出现在海豚的栖息地中？

听世界

海豚不是通过耳朵，而是通过感受头部和颌骨的振动来"听"世界。

咔哒！咔哒！

海豚通过在水下发出咔哒声来和它的朋友们交谈。

半边大脑

海豚每次睡觉的时候只有半边大脑在休息。

潮水潭

在海滩上你能发现什么呢？

退潮时，沙滩上会留下潮水潭。如果你想找温暖浅水区的生物，那就来对啦。在沙滩上能找到的最棒的"礼物"几乎都在潮水潭里。

藤壶

藤壶有各种各样的颜色。它有坚硬的外壳，喜欢粘在岩石、船只和鲸身上。

云鳚

这种鱼像黄油一样光滑！它的身形很长，鳍条呈丝状，身上长着斑点。

海葵

海葵看起来像水下生长的花朵，但它实际上是一种动物。海葵很漂亮，可是也有令人讨厌的刺！

52

贻贝

贻贝利用它浓密的足丝附着
在岩石上。贻贝在水下就打开贝
壳，在空气中就关闭。

海星

海星不是鱼！它拥有多达
40条学名为"管足"的手臂，里
面充满海水而不是血液。

海蛞蝓

有一种海蛞蝓可以释放像柠檬一
样酸的液体，这是为了防止被吃掉。

海有多深？ 海洋里的动物在哪里生存呢？

不同的动物生活在不同深度的海洋区域。有些动物住在海水顶部，那里光线充足，可以随时跳出海平面呼吸新鲜空气。另一部分动物则生活在黑暗可怖的海底。

海洋上层（阳光区）

大多数海洋生物都生活在这里。这个区域最接近海平面，拥有最充足的光线。

海洋中层（昏暗区）

这里没有足够的光线让植物生长。这里是抹香鲸、大王乌贼、鮟鱇和毒鳗的家园。生活在这个区域的鱼类通常都拥有大眼睛，这是为了在昏暗的光线中能看清环境。

一200米

−1000米

海洋深层（午夜区）

海参、吸血鬼鱿鱼和皱鳃鲨生活在这里。它们拥有松弛的身体，所以不会被海水的重量压扁。

−4000米

海洋深渊层（深渊区）

烟灰蛸（又名小飞象章鱼）和许多蠕虫、螺类、蛤蜊都生活在这里。海底冷冰冰的，覆盖着从上面的海层沉降下来的污泥。

−6000米

海洋超深深渊层（超深海渊区）

深海沟形成了超深海渊区。这里是海猪的家。海猪是一种像蠓（yǐ）虫的海参类动物。

海洋里的危险

海洋现在遇到麻烦了吗？

地球上的大部分区域都被水覆盖着，但我们人类总是不善于维护它们。人类做的很多事情都可能破坏海洋环境，伤害海洋生物。

大型船只

大型船只在海洋中运输货物，可能发生石油泄漏。它们引擎发出的噪声使海洋哺乳动物之间交流更困难。

过度捕捞

因为我们捕捉和吃掉了太多的鱼，有些鱼类几乎绝种了。

气候变化

人类燃烧大量的化工燃料，使地球变暖，海平面上升，海水酸性增强，让有些海洋生物难以生存。

海洋里的塑料

塑料为什么会污染海洋？

大量的塑料垃圾最终都流到海洋里，这会危害动物及它们的栖息地。我们可以从自己做起，少用塑料制品，减少污染。

难以降解

与木材等天然材料不同，塑料需要400年才能降解。

直接危害

海洋生物很有可能因塑料垃圾而窒息。有时候，大鱼会误食塑料，这会严重伤害它们的身体。

化学成分

塑料含有有害的化学物质，会污染海水，破坏海洋生物的栖息地。

你找到了吗？

你完成了"找一找"栏目布置给你的任务了吗？还有第2页上那个淘气的沙丁鱼出现的15个位置，都找出来了吗？

20-21 章鱼

12-13 海龟

26-27 海豹

16-17 海马

28-29 鲨鱼

18-19 水母

30-31 磷虾

32-33 鲔

34-35 海蛇

38-39 剑鱼

40-41 鳐鱼

42-43 珊瑚鱼

46-47 企鹅

48-49 河鲀

50-51 海豚

海洋鱼类术语

怎样像海洋鱼类专家那样说话？

当你谈论海洋鱼类时，可以用到下面这些术语。

海洋生物生活在哪里？

海洋生物生活在**咸水**中。大面积的咸水被称为**海**，而大片的海被称为**大洋**。

海洋生物选择居住的地方叫做**栖息地**。珊瑚礁是许多海洋生物的栖息地。

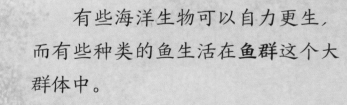

有些海洋生物可以自力更生，而有些种类的鱼生活在**鱼群**这个大群体中。

海水在夜间退潮，在白天涨潮，这被称为**潮汐**。在海平面下，海水朝着不同的方向流动，这叫做**洋流**。

所有的生物在**食物链**中都有自己的位置。它们在食物链中的地位取决于它们吃什么和被什么吃。

许多鱼和鲸都吃**浮游生物**。浮游生物是食物链底端的一种微小生物。

海洋ABC

海洋生物

鮟鱇 anglerfish

八目鳗 hagfish

蚌 mussel

豹形海豹 leopard seal

刺尾鱼 surgeonfish

大王乌贼 Giant squid

灯笼鱼 lanternfish

电鳗 electric eel

毒鳗 viper eel

飞鱼 Flying fish

浮游生物 plankton

蝠鲼 manta ray

蛤 clam

海豹 seal

海参 sea cucumber

海龟 sea turtle

海葵 sea anemone

海蛞蝓 sea slug

海马 seahorse

海蛇 sea snake

海豚 dolphin

海猪 sea pig

河鲀 pufferfish

魟鱼 stingray

虎鲨 tiger shark

花斑连鳍鰤 mandarin dragonet

剑鱼 swordfish

金枪鱼 Bluefin tuna

鲸 whale

蓝鲸 blue whale

磷虾 krill

鳗鱼 eel

抹香鲸 sperm whale

螃蟹 crab

企鹅 penguin

鲨鱼 shark

珊瑚 coral reef

深海鱼 deep sea fish

食人魔鱼 ogrefish

水滴鱼 blobfish

水母 jellyfish

蓑鲉 lionfish

藤壶 barnacle

吞噬鳗 gulper eel

乌贼 squid

吸血鬼鱿鱼 vampire squid ragonet
箱鲀 boxfish
小丑鱼 clownfish
小飞象章鱼 dumbo octopus
螠虫 spoon worm
鹦鹉鱼 parrotfish
章鱼 octopus
皱鳃鲨 Frilled shark
装饰蟹 decorator crab
座头鲸 humpback whale

海洋生物术语

捕食者 predator
捕鱼 fishing
哺乳动物 mammal
骨头 bones
甲壳纲动物 crustacean
壳 shell
猎物 prey
鳞片 scales
卵 egg
黏液 slime
爬行动物 reptile

喷气孔 blowhole
栖息地 habitat
鳍 fin
鳍状肢 flipper
软体动物 mollusc
鳃 gill
食物 food
食物链 food chain

海洋地理

潮水潭 rockpool
潮汐 tide
光线 ray
海洋超深渊层 hadal zone
海洋上层 sunlit zone
海洋深层 midnight zone
海洋深渊层 abyss
海洋中层 twilight zone
全球变暖 global warming
污染 pollution
咸水 salt water
洋流 current

将我所有的爱及本书，献给我可爱的侄子奥尔·左默。

非常感谢我的编辑和设计，给你们一个大大的熊抱！

走进奇妙的蓝色国度

[以]尤瓦·左默 著

曾 茵 译

责任编辑 汪 欣

特邀编辑 黄 刚

责任印制 廖 龙

装帧设计 陈 玲

内文制作 陈 玲

出 版 新星出版社 www.newstarpress.com

出 版 人 马汝军

社 址 北京市西城区车公庄大街丙 3 号楼 邮编 100044
电话 (010)88310888 传真 (010)65270449

发 行 新经典发行有限公司
电话 (010)68423599 邮箱 editor@readinglife.com

印 刷 恒美印务（广州）有限公司

开 本 787mm×1092mm 1/8

印 张 8

字 数 7千字

版 次 2018年6月第1版

印 次 2018年6月第1次印刷

书 号 ISBN 978-7-5133-3022-0

定 价 88.00元

版权所有，侵权必究

如有印装质量问题，请发邮件至 zhiliang@readinglife.com

Published by arrangement with Thames & Hudson Ltd, London,
The Big Book of the Blue © 2018 Yuval Zommer
This edition first published in China in 2018 by ThinKingdom
Media Group LTD, Beijing
Chinese edition © 2018 ThinKingdom Media Group LTD

著作权合同登记图字：01-2018-1313

图书在版编目(CIP)数据

走进奇妙的蓝色国度 ／（以）尤瓦·左默著；曾茵
译. —— 北京：新星出版社，2018.6
ISBN 978-7-5133-3022-0

Ⅰ. ①走… Ⅱ. ①尤… ②曾… Ⅲ. ①海洋生物－普
及读物 Ⅳ. ①Q718.53-49

中国版本图书馆CIP数据核字(2018)第062411号

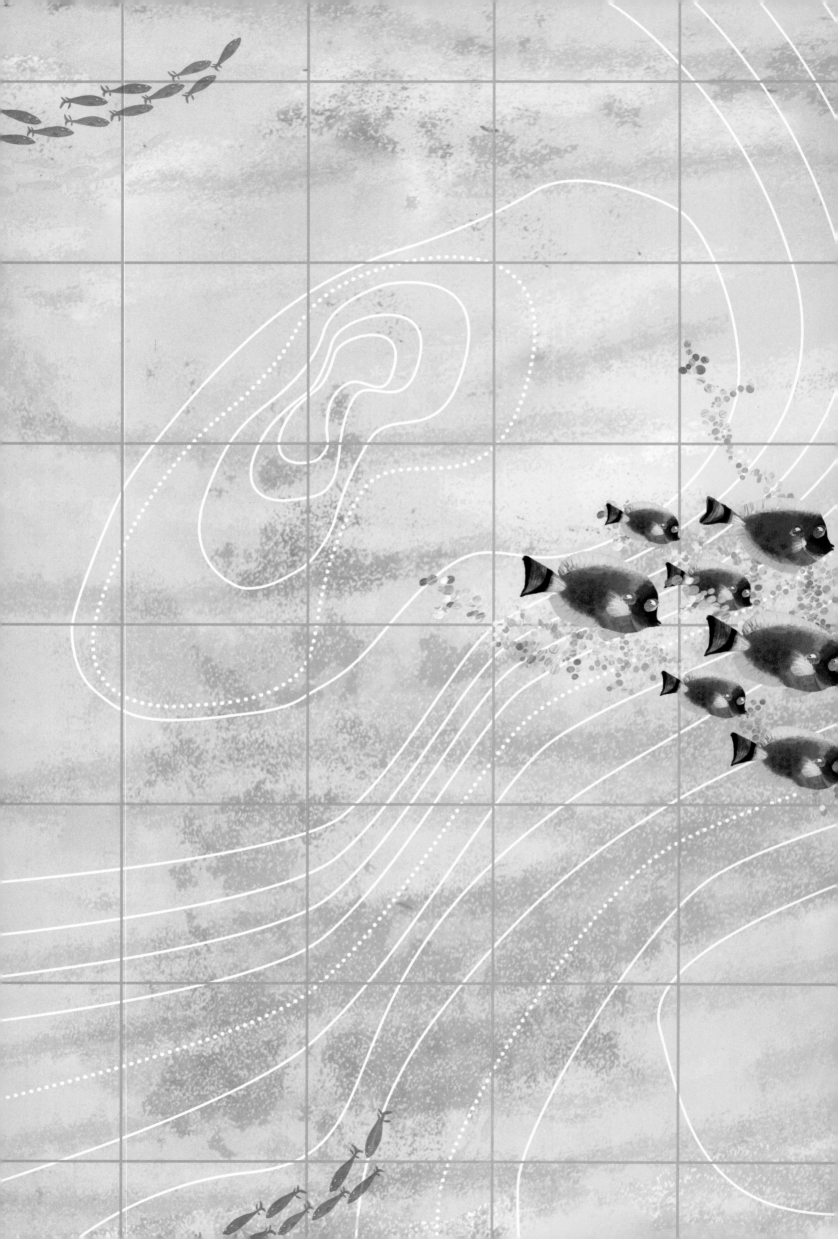